전기순의 설렘아쉬람

전기순의 설렘아쉬람

발행	2024년 06월 20일
지은이	전기순
교정교열	전기순, 허예령
펴낸이	한건희
편집 및 디자인	허예령
펴낸곳	주식회사 부크크
출판사 등록	2014.07.15 (제 2014-16호)
주소	서울특별시 금천구 가산디지털1로 119 SK트윈타워 A동305호
전화	1670-8316
이메일	info@bookk.co.kr
홈페이지	www.bookk.co.kr
ISBN	979-11-410-9023-4
값	17,200원

전기순의 설렘아쉬람

저자 전기순

-순간 삶의 일깨움을 주는 그림과 시, 설렘 아쉬람-

AI로 시와 그림이 그려지는 시대,
나는 생활 속 그림 그리기와 시를 AI가 아닌 몸과 마음이 지어낸
'순간-떠오름'에서 찾는다.

순간 떠오르는 시각적 이미지를 시로, 또는 언어적 감성을 이미지로 표현하는 동안,
나는 강가 모래더미에서 낙서하는 천진한 산골 소년이 되어 몸 안의 내면 세계와 몸 밖의
현실 세계를 겹침, 교차, 초월하면서 생성하는 유기체로서 '몸채' 즉 '설렘-팽이'의 신비에 빠져든다.

'설렘-팽이'의 생성을 일으키는 그림과 시가 '나-여기-있음'의 존재 의미를 일깨워 주었다면,
나는 그 일깨움이 삶의 과정이며, 이 과정적 삶을 위해 그림과 시를 꾸준히 추구할 것이다.

그림과 시는 나의 끌림체인 '설렘-팽이'를 움직이게 하는 순수한 빛이며,
초월 세계로 초대하는 수호천사다.

이제 '끌림 아쉬람'에 이어 그림과 시의 과정적 '설렘 아쉬람'으로 그대를 맞이하고 싶다.

2024년 6월
관악산 설렘자락에서

전 기 순

목차

머리글

제2부

제2부 2024

◇작품설명=무명 조약돌이 저녁 노을에 황금 옷을 걸치고 태고적 대침묵의 신비에 잠기는 모습을 그려봅니다.

16

설렘

저녁 노을
파도소리에

귀 기울이며

천년 세월을
벗삼아 살아가는
꼬마 조약돌

얼씨구나
황금 비단결로
온몸을 휘감네

◇작품설명=밀려오는 영겁파도에 호흡을 다듬는 수행자의 숨결을 떠올려 봅니다.

파도

태고적 신비를
목청껏 소리쳐

쏟아내도

무심타
말없이 지나가는
새털 구름이야

하얀 포말
무명 옷자락으로
허공을 휘젓네

◇작품설명=일출을 바라보며 호흡을 가다듬는 수행자의 깊은 숨결을 떠올려 봅니다.

일출

모진 세파에 휘말려
온 몸 흩어져 온데간데

천둥, 번개
비바람에 휩쓸려도

웅혼한 붉은 기상
어느 누가 대신하려느냐

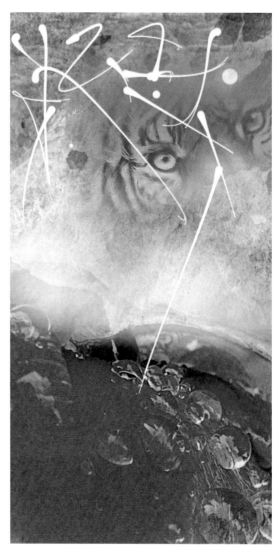

◇작품설명=새록새록 떠오르는 소중한 만남은 길가에 핀 꽃이 나그네에게 행복을 주듯이 감사한 마음을 지니게 합니다.

만남

시들새라 아침이슬
빨간 장미에
온몸 던져 포옹하듯이

너의 짧은 만남
고이접어
꼬옥 간직할 거예요

◇작품설명=대자연을 벗삼아 휘감고 있는 바람을 통해 삶의 순간성을 그려봅니다.

바람

바람아 계곡을 휘감아
천년을 노래하려느냐

햇살 가득 파란 도화지
하얀 말총을 붓 삼아

님 향한 보고픈 설렘을
휘~익 태허로 대신하느냐

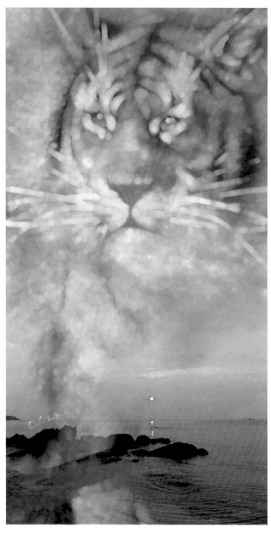

◇작품설명=어릴적 운명을 달리해 기억조차 없는 어머니에 대한 간절한 그리움을
그려봅니다.

구름

구름아 저멀리 황혼 길에
넋을 위로하느냐

그리운 어머니의 모습도
기억조차 없는 고향 하늘에

보고파 새털 구름으로
오십고개 마음을 달래주느냐

◇작품 설명=이른 아침에 만날 수 있는 이슬의 아름다움을 표현하였습니다.

아침이슬

난 네가 좋다.
내세울 것 없는 삶의 뒤 언덕에서

너의 작고 맑은 눈망울로
나를 위로했다.

난 네가 좋다.
어지럽고 뒤엉킨 삶의 여정에서
너의 황홀한 생명으로
나를 감쌌다.

◇작품 설명=매순간 밀려오는 파도가 바위에 부딪쳐 부서지는 모습을 통해 삶 역시 몸이 만들어낸 짧은 환영임을 알려주네요.

파도의 꿈

저 먼 곳 하늘가에
또 다른 세계가 있음을
꿈꾸며

내 몸이 만들어 낸
현실이 물거품임을
소리치며

허황된 몸 하늘에 바쳐
얼씨구나 설렘 속
소망을 대신하려느냐

◇작품설명=어릴적 돌아가신 어머니의 사랑을 떠올리며, 고향산천에 깊이 스며들어 있는 님의 사랑 숨결을 헤아려봅니다.

님

어머니 사랑이 그리워
님의 고향 하늘과 산천을

그려봅니다

울 아기 다칠세라
온 몸 다해 부둥켜 안으며
덩실덩실 춤추시던

오십너머 철부지마냥
별따라 구름따라
님의 술결을 헤아려봅니다

◇작품설명=백의민족의 순수와 영원한 힘은 자연과 하나가 되려는 설렘에 있어요.

바람아

바람아!
바다를 친구 삼아

휘익 지나간 자리
내 것 없다 하지마라

바람결 따라
얼씨구나 파도 춤추며
천년 바위 제물 바쳐
하늘 섬기지 않느냐

무거운 땅거미
파아란 하늘 훔쳐도
너는 우울한 나의 마음을
달래주지 않느냐

◇작품설명=산행을 하면서 어느새 넉넉한 마음을 받았네요. 하루가 멀지않아 또 다시 산이 그리워지는건 오십고개를 훌쩍 넘어서도 어쩔수 없는가 봅니다.

설악산

한걸음에 산은
하나씩 마음을 터놓는

친구가 되었다

두어걸음에 산은
삶의 아픔을 치유하는
의사가 되었다

어느새 산은
절로 마음을 비우게 하는
큰 스승이 되었다

◇작품설명=동해 작은 해변가에 활짝 피어난 접시꽃이 피서객을 맞이하네요.

접시꽃 설렘

님 보고파
새악시 마냥
금빛 화장하고

설렘으로
치켜세워진
가느다란 몸을

파란하늘에
기대어
그리움을 달래어요

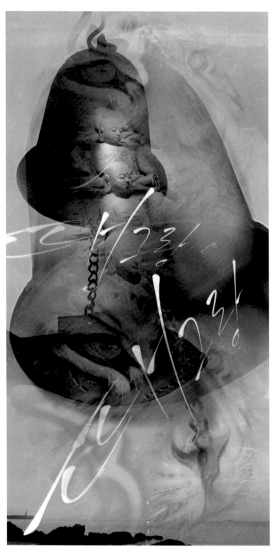

◇작품설명=폭염 속 고즈넉한 산사에 울려퍼지는 풍경소리가 마치 친구처럼 다정하게 느껴지네요.

풍경

금빛 파도 물결
구름 한 조각

설렘 숨자락에
무념 감로수

청아한 풍경소리
태허가 부서지네

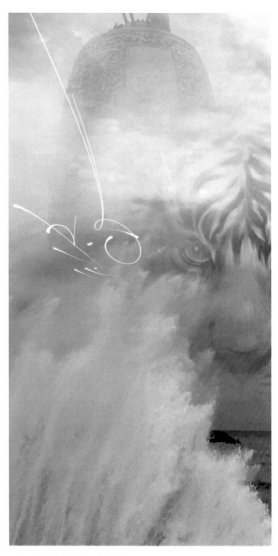

◇작품설명=광폭하게 넘실대는 동해 파도가 무더운 여름을 식혀주네요.

성난 파도

철썩 꽈르르
파도야
신바람이더냐

고통 속 좌절을
터져라
부둥켜 안고

부활의 기쁨을
얼씨구나
허공에 입맞추느냐

◇작품설명=갈매기 부부가 수평선 저 너머 님의 소식을 기다리던 때를 떠올리며 축복에 쌓여있네요.

환생

님 보고파
뼈져린 마음이

사라랑
스르르륵

갈매기 부부로
환생하였느냐

◇작품설명= 태풍과 장마가 지나간 그 자리, 맑은 하늘이 절망 속 삶의 참뜻을 알려주네요.

태풍

기쁨 넘치는
파아란 하늘이

너에겐
미움이더냐

사랑이
미치지 못하는
끝자락까지
모조리 휩쓸고

지나간 그 자리
고통 속
참된 삶을
깨우쳐 주려느냐

◇작품설명=한적한 바닷가에 갈매기가 밀려오는 파도를 바라보며 새로운 비상을 꿈꾸네요.

갈매기의 꿈

애벌래에서
나비처럼
껍질을 버리고

두려운 없이
저 높은 곳으로
날아 올라

보이지 않는
초월 속 타자로
다시 태어나련다

◇작품설명=새록새록 떠오르는 소중한 만남은 길가에 핀 꽃이 나그네에게 행복을 주듯이 감사한 마음을 지니게 합니다.

코스모스

가을하늘
풀벌레

합창소리에

코스모스는
정든 추억을
노래했다

꽃향기
바람결에
흩날릴때

코스모스는
더덩실
춤을 추었다

◇작품설명=24절기 가운데 백로(9월 7일)가 지나니 작은 풀잎에 새벽 이슬이 맺혔네요.

잡초

뜨거운 햇살을
가려주지는 못해도

가장 낮은 곳에서
지쳐 당신을 포근히
감싸줄거에요

짓밟혀서 생긴
상처로 얼룩진 몸은
영롱한 이슬방울이
전해준 복음으로
다시 일어설거예요

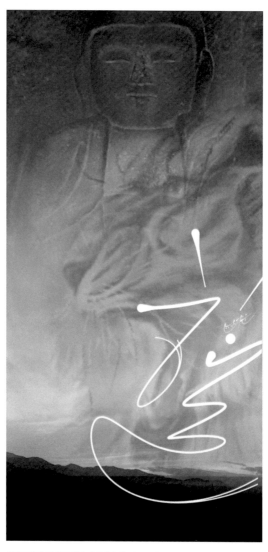

◇작품설명=견성을 위해 용맹정진하는 수행자를 떠올리며 '나·여기·있음'의 존재
성을 되새겨 봅니다

할

상념 속
어두운 늪에서
허우적 거릴 때

심연 속
주장자 '할!' 소리에
보름달이 활짝

◇작품설명=맑은 가을 하늘과 어울리고자 수줍어 드러낸 코스모스를 보며 가을정
취를 담아봅니다.

코스모스

파란 하늘에
살며시

연지 곤지 찍어
드려요

수줍어 내민
가느다란 두 손
새악시 마냥
가을에 기대어

청정한 마음
남몰래 훔쳐
해맑은
설렘으로 살거예요

◇작품설명=가을 문턱에서 땅이 지닌 생명의 기쁨을 하늘에 전해주려고 코스모스
가 활짝 피었답니다.

보고파

도심을 떠나
담쟁이로 둘러싼
너를 보고파

단숨에
달려왔습니다

푸른 하늘에
기쁨을 전하는
너를 보고파

설렘 속
밤을 지새웠습니다

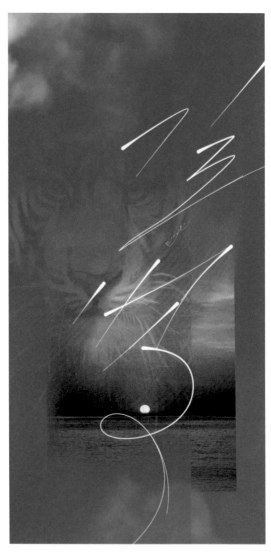

◇작품설명= 모두가 잠든 깊은 밤, 무명 속 실타래를 풀기 위해 길 떠난 수행자를 떠올리며 정취를 느껴봅니다.

길벗

이 뭐꼬~.
밤새 터벅 터벅

혼자가는 길

처마 밑
풀벌레가 숨죽여
응원하네요

미미한 숨소리
마음따라
온 몸 적시고

들킬새라
일출이 조심스레
창문을 두드려요

◇작품설명=자신의 몸을 벗삼아 용맹정진하는 무명수행자의 오분향을 떠올려 봅니다.

하늘낚시

맑은 하늘에
떠도는 명상은

마음으로
낚을 수 없네

훈풍에
구름 마음이
흩어져
가벼워질 때

영축산
감로수에
텅빈 염화미소
허공을 휘젓네

◇작품설명=가을 달빛으로 가득한 바다, 넘실거리는 파도, 기암절벽 등 모든 것이
그윽한 태고의 신비를 전해주네요.

설렘파도

흔들리는 달빛으로 채색된
출렁이는 밤바다가 좋아
더덩실 바라 춤을 추느냐

홍건이 걸린 황금다리를
오랏 줄로 동여메고 으랏차
빛나래로 날아 오르려느냐

◇작품설명=가을 속 단풍이 무척 아름답습니다. 저마다의 사연을 간직한 가운데 따님의 세계로 회귀하네요.

단풍

나뭇잎은 밤새 빨간 옷을 입었다
가지마다 사연을 뒤로한 채
따님의 몸보시를 위해

나뭇잎은 밤새 빨간 눈물을 흘렸다
가지와의 화려한 삶을 뒤로한 채
헤어지는 아픔을 위로하며

나뭇잎은 밤새 설렘으로 기도했다
영겁회귀의 여정을 채비하며
홀로 영적인 빛 나래로 몸을 던졌다

◇작품설명=가을은 살아온 나날을 되돌이켜 보다 성숙한 삶에 적응하도록 말없이
전해줍니다.

가을

그래야 한다
가을은 치유마법사

얼룩진 마음 상처도
마지막 빨간 감에서
꼭 위로 받아야 한다

그래야 한다
가을은 설렘마법사
그리움으로 지친 마음도
빨간색 단풍으로
꼭 달래어야 한다

그래야 한다
가을은 기도 마법사
파란하늘으로
살아온 참뜻을
꼭 꼭 느껴야 한다

◇작품설명=단풍잎이 나무 가지 위의 향긋한 삶을 벗어나 또 다른 삶을 위해 선화
하네요.

단풍연

이제 더 이상 너의 연정
숨길 수가 없구나

늦 가을 따스한 햇살에
빠알간 눈망을을 뒤로하고

바람결 연분홍 입맞춤으로
이별을 아쉬워하느냐

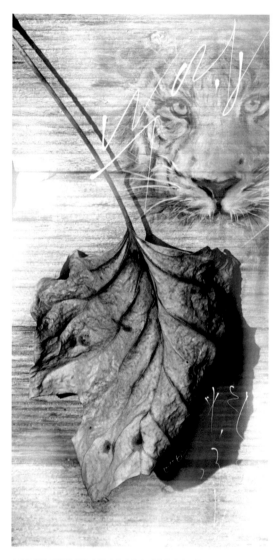

◇작품설명=바람에 뒹굴며 떨어진 낙엽이 이별에 의한 슬픔이 아닌 또 다른 삶의
시작임을 전해주네요.

낙엽

낙엽에 이별이란 없다
다가오는 삶을 위해

잠시 쉬고 있을 뿐
지나간 화려한 흔적은
보다 나은 미래를 위해
디딤돌이다

낙엽에 슬픔이란 없다
영겁 속 쉼터에서
몸매를 추스리고 있을 뿐
지나간 세월의 추억은
대지와의 만남을 위한
버팀목이다

◇작품설명=시대적 아픔과 애환을 죽음으로 대신한 성자의 순교를 떠올려 봅니다.

황혼

얼마나 슬피울었길래
하늘 가득 빨갛다
누군가 죽었는가 보다

밤새 흘린 눈물 훔치랴
가을산 옷자락도
온통 붉게 물들었구나

◇작품설명=한적한 시골길, 가느다란 담쟁이 넝쿨이 나뭇가지에 의지한 채 하늘에 손짓하네요.

사랑 울타리

옹기종기 소곤소곤
기도향기로 기둥 삼아

저 하늘에 오를거다

가녀린 손길에
구름과 별 그리고 달이
등줄기 받쳐주며

바람이 정한 하늘 땅에
믿음으로 가득찬
사랑 울타리를 칠거다

◇작품설명=차디찬 추위에도 불구하고 담쟁이 넝쿨, 찔레 열매가 빨갛게 익어 꽁꽁 얼어붙은 마음을 녹여주네요.

찔레

그대를 사랑한 만큼
찌르는 아픔에

빨간 눈물 흘러도

첫 순정의 달콤함은
떠오르는 일출에
고이 간직할 거예요

뚝뚝 떨어지는
붉은 눈망울의 사연을
아침 햇살에 담아

한올 한올 님그리며
하얀 구름 물결에
입맞춤할 거예요

◇작품설명=맑은 산행 도중에 첫 눈이 내렸습니다. 낙엽으로 둘러쌓인 산길이 금새 하얀 눈길로 바뀌었네요.

첫눈

허공에 기대어
하염없이 내리는

맑은 눈 꽃송이

메마른 풀잎과
침묵 속 사랑을
속삭여요

하얀 면사포에
떨리는 부끄러움을
살며시 숨기며

사뿐 더 덩실
설렘 끝자락에서
힘껏 포옹할 거예요

◇작품설명=임인년 새해가 밝았습니다. 새해에는 행복과 감사의 행운이 함께하길 바랍니다.

새해

새해에는
태초의 신비를

고이 간직한
일출처럼
거듭나게 하소서

새해에는
흑호의
기운을 통해
정신적 영험을
체득하게 하소서

그래서

자신의 축복이
매순간
넘쳐흐르는
감사한 마음임을
깨닫게 하소서

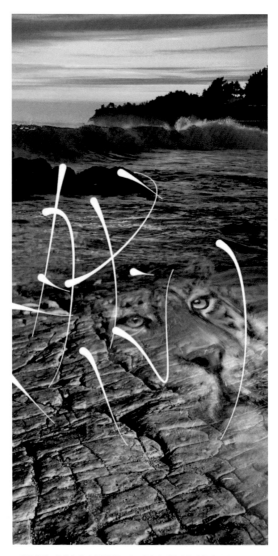

◇작품설명=자연에 새겨진 주름은 보는 이에게 세월의 무상을 말없이 전해주네요.

주름

오랜 세월
태허(太虛)로
새겨진 주름에서

님의
염화 미소를
찾아 봅니다

주름에 얽힌
애환을
달래주듯이

하얀 파도는
시나위로
부채춤을 추네요

◇작품설명=캄캄한 밤은 포근한 이부자리처럼 몸 주위를 감싸며 다정하게 포옹해
주네요.

캄캄한 밤

홀로 우두커니
앉아서

서서
누워서
뒹굴 수 있는

캄캄한
밤이 좋다

홀로 덩그러니
누워서
하나, 둘, 셋
별똥 별
속에서 헤매는

캄캄한
밤이 좋다

◇작품설명=동해안, 천년 세월을 간직한 채 숨어 있는 바위결에서 오랫동안 오분
향(五分香)을 덕목으로 살아간 무명수행자의 침묵 속 숨결을 느껴봅니다. (오분향
이란 성불할 수 있는 길을 다섯가지로 나누었다는 의미)

숨결

오분향을 벗삼아
시간의 시나브로

반복된 절 수행

바위결 따라서
금빛 햇살이
온 몸을 감싸주네

절 주름이
허공을 가르며
접고 펼치는 순간

시작과 끝도 없는
바람도 숨결과 함께
태허로 사라지네

◇작품설명=설날 윷놀이를 하면서 가족의 행복과 행운에 대한 염원과 새해 기쁨을 누리고자 하는 조상의 지혜를 음미해 봅니다.

윷놀이

모야! 윷이야!

소리치며
두 손 부서져라
손뼉치는 소리에

시골 동네 아낙
하나 둘 늘어
시골 장날 들어섰네

모야! 윷이야!

빛 바랜 세월이야
윷가락에 가득 담아
허공에 날려버리고

새해 첫 기쁨을
솟구치는 파도처럼
신명나게 즐겨보세

◇작품설명=몽환적 느낌을 주는 파도가 만들어낸 하얀포말의 시나위는 삶의 신비를 더해줍니다.

꿈결

황금빛 파도물결
하염없이 피어오르는
하얀 포말이

허공을 가리키며
몽환 속 삶을
소리없이 보여주느냐

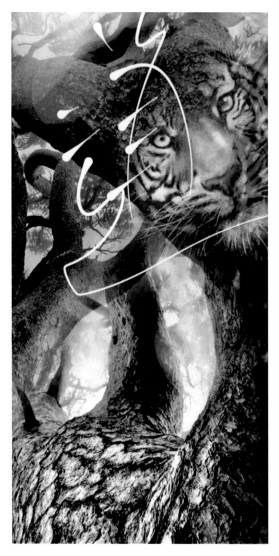

◇작품설명=백두대간 산행 중 우뚝 선 적송을 만났습니다. 수령 500여년 이상의 적송을 보면서 생명의 신비를 느꼈습니다.

적송

시간과 공간을 넘어
삶의 비기가

따로 있단 말이냐
뿌리없는 나무는
주어진 삶에서
분주히 움직이는데

너는 백두대간
허리춤에서
천년을 바라보는구나

◇작품설명=정월 대보름 밤하늘 가득찬 별들의 시나위에서 대자연의 신비를 느껴봅니다.

별빛

초롱초롱
그대 별빛의 흥겨운

시나위에
내 마음 가벼워
더덩실
춤출거예요

휘영청
정월 대보름 달님을
얼싸안고

얼룩진 삶
한바탕 춤사위로
지울거예요

◇작품설명=겨우내 형체를 알 수 없게 된 떨어진 낙엽에서 삶의 뒤안 길을 생각해 봅니다.

외롭지 않습니다

이리저리 뒹굴며
휑하니 뻥뚫린 마음이야

하늘을 담을 수 있어
외롭지 않습니다

차디찬 겨울바람에
흔적없이 사라진 뽀얀 살결

대지의 품으로 가기에
외롭지 않습니다

◇작품설명=매순간 밀려오는 파도처럼 오직 자신에게 주어진 숨에 의지한 채 온전한 삶을 추구하는 무명수행자를 떠올려봅니다.

한숨

오늘 아침에는
들이쉬는 숨결에서

밀려오는 봄의 향기를
느끼고 싶다
오늘 저녁에는
내쉬는 숨자락에서
밀려가는 텅 빈 마음을
바라보고 싶다

그래서

오늘 하루
온전한 한숨으로
대 침묵의 당신이
되고 싶다

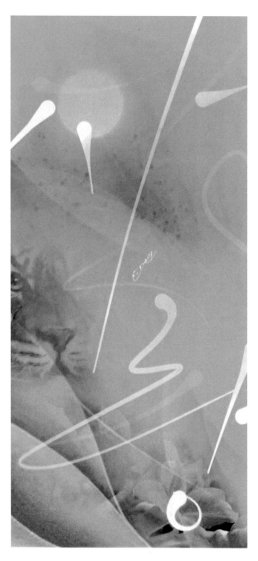

◇작품설명=믿음, 소망, 사랑의 마음양식을 나눠주기 위해 봉사하고 있는 이름 없는 수행자의 발자취를 떠올려 봅니다.

당신이 있어 행복합니다

어릴 적 메마른 도시에서
굶주림에 허덕일 때

당신은 늘 가까이에서
희망을 속삭여 주었습니다

겨우내 차가운 눈바람에
지쳐 쓰러질 때
당신은 나에게 다가와
담대한 믿음을 주었습니다

뭐하나 내세울 것 없는
절망 속에서 허우적일 때
몰래 사랑을 전해준
당신이 있어 정말 행복합니다

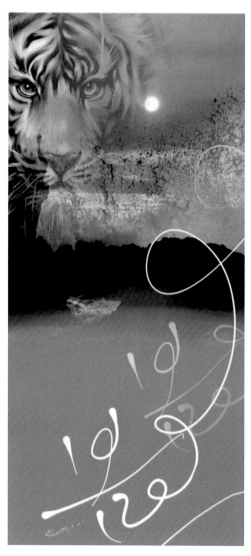

◇작품설명=저멀리 밀려오는 파도소리의 장단에 맞추어 봄도 아장아장 걸어오네요.

봄이 오는 소리

따스한 봄 햇살소식에
훌훌 흙 옷을 벗느라

들녘 씨앗들이
시끌벅적 소란하다

콩닥콩닥 두근거리는
묵은 마음도

창문에 목을 길게 빼고
물끄러미 파도에 손짓한다

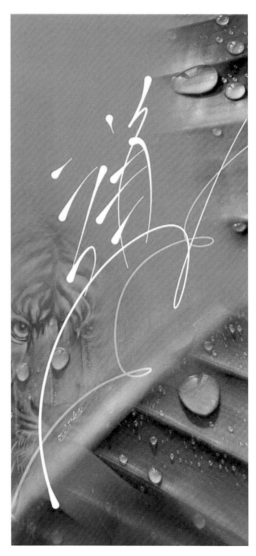

◇작품설명=밤새 소리 없이 내린 봄 비에 얼어있던 땅도 꿈틀거리며 봄맞이 하네요.

봄비

톡, 토독, 댕그르르
봄 비 소식에

하얀 이불 덮고
늦잠 피우던 땅도

꼼지락 꼼지락
기지개를 켠다

시큰둥 얼어붙은
겨우내 묵은 마음도

콩! 콩! 콩닥 콩!
화알짝 희망을 두드린다

◇작품설명=추운 겨우내 30대 꽃다운 나이로 돌아가신 어머니묘소가 잘있는지 살피고 돌아왔습니다.

달빛 초롱

그리움에 사무쳐
몰래 울었던

가여린 눈물 자국
고향 땅 산줄기로
고스란히 남아
작은 맘을 달래주어요

주르륵 흘러내린
눈물 방울
동그란 달님 되어

붉은 빛 초롱으로
톡, 톡 삶의 신비를
전해주어요

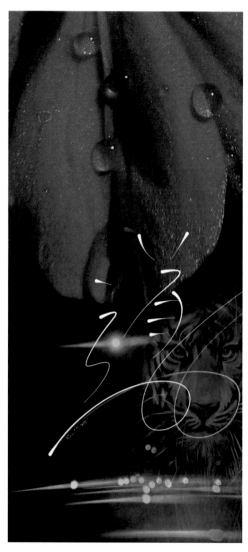

◇작품설명=이른 아침 산책길에 만난 조그마한 붉은 꽃잎에 이슬방울이 몰래
앉아 삶을 노래하네요.

아침이슬

봄에 피어난
붉은 꽃의 자태

그토록 아름다워
아침 이슬아
맑고 청초한
순결을 바치느냐

눈부신 태양 아래
금방 사라질
너의 빛나래를

온몸 가득
빨갛게 물들여
천년사랑을 맺었느냐

◇작품설명=돌탑은 어떠한 사치를 지니지 않는다. 그리고 높낮이에 불평하지 않고 온전히 주어진 몸을 자연에 드러낸다.

돌탑

굴러다닌 돌도
누군가의 손길에 의해

돌탑이 된다
돌탑의 아름다움은
내 위에 올라선 돌을
떠받칠 때 나타난다

떨어지려는 너를
힘껏 붙잡아 줄 때
돌탑은 영원을 갖는다

◇작품설명=동해 해안가 누군가의 손길에 의해 쌓여진 돌탑에서 부활의 기적을 떠올려 봅니다.

돌탑2

───────

돌탑은
자신의 명망에
아랑곳하지 않고

묵묵히
님의 손길에
자신을 맡긴다

그래서

오늘도
누군가의 믿음에
반려자가 되어

대 침묵이 지닌
부활의 기적을
속삭인다

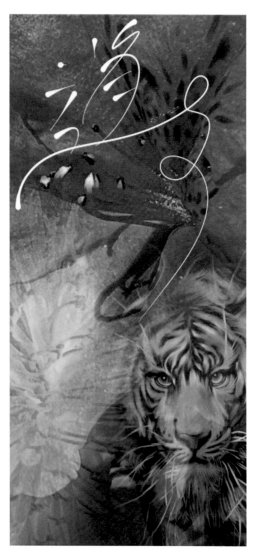

◇작품설명=겨우내 얼어붙은 꽃눈을 바라보며 기다려 준 봄 햇살에게 화려하게 피어난 꽃들이 고마움을 전하네요.

꽃잎 위로 춤을 추어요

드디어 봄 햇살은
꽃의 향연에 초대되어

더덩실 쿵더쿵
꽃잎 위로 춤을 추어요
겨우내 처녀 꽃눈에
분홍, 빨강 꽃으로
활짝 피어나길 바라며
기다린 세월이야

드디어 봄 햇살은
봄 꽃의 흥겨운 시나위에
모든 시름 잊고
꽃잎 위로 춤을 추어요

◇작품설명=다양한 봄 꽃 향기는 누군가와 수다를 떨고 싶은 어린아이의 천진한 마음이 절로 생겨나게 합니다.

꽃 향기

꽃 향기, 어느새
문틈으로 들어왔다

꽃 향기, 어느새
마음에도 들어왔다

아뿔사!

나는 봄 꽃이 되어
어린아이가 되었다

꽃 향기, 나이를 훔치는
도둑인가 보다

◇작품설명= 꽃들의 향연에 시골처녀의 들뜬 기분이 마치 순정만화를 보는 것 같네요.

꽃 바람

덩실 덩실
노랑, 분홍 꽃

춤사위에
시골처녀
질새라
핑크빛 분칠

개울가
총각 머슴
얼씨구나

설레는
꽃 바람에
콩닥 콩닥 콩

◇작품설명=30대 꽃다운 나이에 돌아가신 어머니의 산소에 놓여진 하얀 꽃을 보며 영원회귀의 아름다운 삶을 그려봅니다.

하얀 꽃

순백의 뽀얀 순결로
우러러 하늘을 경배하는
오월의 설렘 꽃이여

저 수평선에 떠오르는
따뜻한 봄 햇살이 그리워
짧은 삶을 슬퍼하지 마라

마침내,

너의 맑고 순수한 순결이
고향 땅 어머니의 숨결로
이어지고 있지 않느냐

◇작품설명=관악산 중턱에 자리한 거친 바위에 소나무가 뿌리를 내려 무욕의 청초한 자태를 드러내고 있네요.

소나무

저 멀리 살 길 찾아
날아 온 곳이

심산유곡 척박한 바위
얼씨구~! 좋구나~!
천년 바위 속 거친 신화와
한바탕 어울리며

무욕의 삶을
사계절 푸른 솔잎으로
하늘 우러러 전하느냐

◇작품설명=길거리에 피어난 붉은 장미의 아름다운 유혹은 대자연도 어쩔 수 없는가 봅니다.

장미

활짝 핀
장미 꽃에

떠오르는
일출도

화려함에
줄행랑

구름 뒤에
숨었다

◇작품설명=강원대학교 캠퍼스에 꿈과 열정, 그리고 설렘에 의한 사랑을 전
해주는 붉은 장미가 활짝 피었네요.

하늘, 장미꽃을 향해

겨우내 혹독한 추위를
온 몸 가시 방패로 맞서며

솟구친 붉은 정념이여
거친 삶의 뒤안길에
그대 타오르는 열정으로
꿈결 하늘에 뒹굴고 싶다

그대는 아는가
고통 속 환희의 기쁨이
내면 속 '설렘−사랑'임을

◇작품설명=대자연에 의해 생성된 바위 주름이 기나긴 영겁의 삶을 노래하네요.

파도, 바위 주름

바위 주름에
들려오는
천년의 가락이여

파도에 실린
가느다란 실 바람이
바위결 따라

휘~잉!

속절없이
텅 빈 마음으로
영원을 노래하네

◇작품설명=인적이 드문 해안가에서 일출과 마주한 넝쿨이 황금 빛을 받아 허공을 향해 시나브로 나아가고 있네요.

시나브로

붉은 일출에 빠져
꿈결로 멈추어진 시간

살랑 살랑

황금 물결 따라
슬그머니 찾아온

금빛 햇살 가득 실은
실 바람 소리에

화들짝!

시나브로
가느다란 넝쿨은

붉은 기운으로
태허공을 가르네요

◇작품설명=하늘, 땅, 산, 비, 눈, 바람, 공기 등 대자연이 주는 은혜 가운데 서로 교감하며 삶을 노래하네요.

삶을 노래해요

하늘에는 구름이
땅에는 꽃들이

산에는 산새들이
삶을 노래해요

기쁠 때는 하늘에
슬플 때는 땅에
날갯짓 하며

생명을 노래해요

비 내리면 빗방울에
눈 내리면 눈송이에
바람 불면 바람결에

사랑을 노래해요

◇작품설명=얼마 전 어머니의 묘소에 심었던 잔디가 파릇파릇하게 피어났어요. 감사한 마음과 어머니에 대한 그리움을 저 맑고 투명한 수평선으로 대신 전합니다.

보고파

저 멀리
하늘 바다가 만든
맑고 선명한 선을

한 올, 한 올
남 몰래 실타래로
감아 올려

보고파

그리움에 사무친
당신 마음에
고이 풀어드릴께요

◇작품설명=우연히 마주친 꽃처럼 저마다 지니고 있는 소중한 꿈이 활짝 피어나
길 소망해 봅니다.

꽃은 자신의 향기를 모른다

꽃은
한 곳에 머물러

당신의 따스한 손길에
온 생명을 바친다

자신의
타고난 형상에 푹 빠져
활짝 피워낸
삶의 순정이여!

꽃은
한 점에 머물러
당신의 순수한 설렘을
그윽한 향기로 감싸준다

자신의
태고적 향기도 모르고
생명을 불사르는
꽃의 소명이여!

◇작품설명=산행을 하면서 우연히 마주친 노란 산나리 꽃이 산 기슭에서 용맹정진하는 무명 수행자로 보여지네요.

산나리 꽃

님 그리움에
사무쳐

목이 길어진
산나리 꽃

휘~잉!

휘몰아치는
산골짜기 바람에
가슴이
조마조마

으랏차차!

남은 열정
노란 고깔 속에
깨끗한 순결로
가득 채워야지

◇작품설명=화려한 꽃들의 향연에서 마치 또 다른 미지의 세계에 대한 설렘(황금)꽃을 꿈꾸게 하네요.

꽃들은 말한다

그대 아무리
초라한 삶 속에서
뒹굴어도

희망없는
어두운 터널에
갇혀있어도

꽃들은 말한다

그대 심연에
피어나는 황금 꽃을
꺽지말라고

◇작품설명=이른 아침 창밖에 밀려오는 매미의 우렁찬 울음소리가 여름을 더욱 더 뜨겁게 달구네요.

매미

척박한 땅 속에서
숨죽여 간직한
오랜 삶의 순결이여

단 한번의 사랑을 위해
자신의 목숨을
미련없이 던지느냐

그대는 아는가

여름이 무더운 것은
사랑 찾아 떠나는
매미의 뜨거운 열정임을

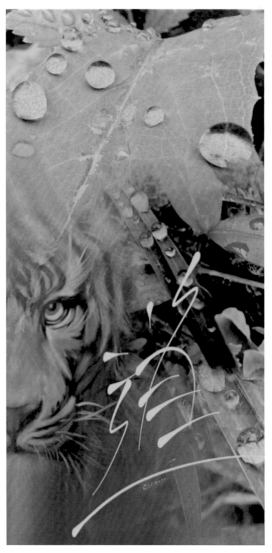

◇작품설명=간밤에 내린 비가 멈춘 이른 아침, 영롱한 물방울이 풀잎에게 하늘생명을 전해주네요.

하늘방울

비가 온 뒤
하늘은 파랗다

풀잎에 맺힌
영롱한 하늘방울

댕그르르

숨죽여
생명을 찬양하네

◇작품설명=담장에 작은 호박꽃이 피었네요. 저녁 햇살이 아기 호박꽃에게 꿈결에서 다시 만나길 속삭이며 남은 하루를 아쉬워하네요.

아기 호박 꽃

여름 해질녘
황금 빛 노을이

사라랑

어린 호박 꽃에게
살짝 볼을 비벼요

행여 다칠까

미더운 호박잎이
포근히 감싸주네요

◇작품설명=한 여름 소나기가 가뭄에 지친 대지와 풀잎들에게 생명을 전해주네요.

소나기

뜨거운 한 여름
붉은 태양의
강렬한 입맞춤에

붉게 달아오른
천년 흙의
황홀한 정념이여

쏴아~

한줄기 소나기에
고개드는 풀잎소리
긴 잠에서 깨어나네

◇작품설명=빨간장미가 마을어귀 곳곳에 피어있네요. 저 멀리 보이는 동그란
모양이 이른 새벽에 떠오르는 해오름을 닮았네요.

여름 바다

풍덩!

여름 바다에
던져진 상념은
파도에 휩쓸려
사라지고

첨벙!

화들짝
활짝 열린마음
해맑은
동심으로

◇작품설명=겨레의 명절, 추석이 갖는 풍요와 가족의 행복을 기원하는 조상의
발자취를 진또배기에서 찾아봅니다.

진또배기

저 높은
파란 하늘로

꿈 날개
펼쳐라!

올 한해도
풍년에
감사하며
날아라!

얼씨구!

한울님에게
한풀이, 살풀이
신명나게
풀어라!

◇작품설명=풀벌레가 유난히 큰 가을, 한적한 시골집 가마솥에서 어머니의 지나간 손길을 그려봅니다.

가마솥

꺼질새라 아궁이의 불꽃을
밤새 지켜온 님의 손길

달빛 초롱 강아지 풀은
흔들 그리움을 자아내요

탁! 타닥타닥!

솟구치는 불꽃
텅 빈 마음 두드리며

빨갛게 달아온 가마솥
당신의 고운 숨결 전해주네요

◇작품설명=간 밤에 지나간 폭풍우의 자식으로 태어난 이끼의 신비를 숨긴 채
새 생명의 설렘만 가득하네요.

벼랑 끝 이끼

난 네가 좋다

황폐한 벼랑 끝
수줍어 태어난

파릇파릇한
삶의 설렘이여

폭풍우의 전설을
살짝 숨긴 채

서로 사랑하자며
방그레 웃는

난 네가 좋다

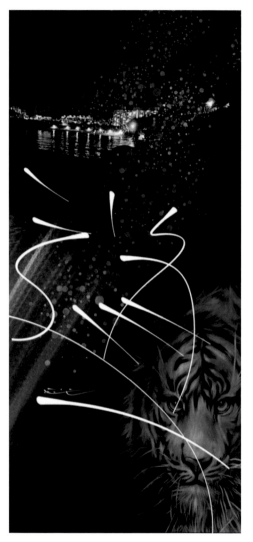

◇작품설명=고즈넉한 산골, 초라한 토굴에서 수행을 덕목으로 살아가는
묵언 수행자의 그윽한 향기를 헤아려 봅니다.

바람 부는 날

바람 부는 날

풀잎 속 풀벌레의 가락에 맞춰
사뿐사뿐 춤출 거예요

당신을 향한 그리움의 끝자락에
휘익! 별똥별은 소리없이 지나가고

바람 부는 날

깊고 그윽한 별 빛 바라춤에 의지한 채
당신의 별나라로 날아갈 거예요

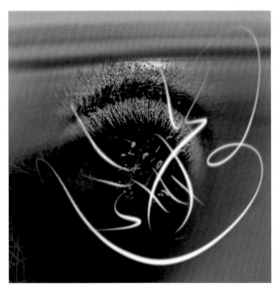

◇작품설명=산 그늘 아래 피어난 강아지 풀에 아침이슬이 맺혀 방긋 미소지어요.

환생

산 그늘 내린 시골 어귀
하얀 연기 따라 사라진
농부의 땀방울

슥! 사라랑!

길섶 강아지 풀에
찬 이슬로 몰래 찾아와
촉촉한 가을에 방그레

톡! 꺄르르!

◇작품설명=황혼 빛이 가득 찬 농촌에는 무르익은 벼 이삭이 가을바람따라 흔들흔들
춤을 추어요.

사라랑

갈 바람에
찰랑 찰랑이는

벼 이삭

찌르르 찌르르르
풀벌레의
힘찬 노랫소리에

흥겨워
황금 빛 면사포로
사라랑 춤을 추어요

◇작품 설명=오솔길 곳곳에 밤이 떨어져 있어요. 방금 떨어진 밤송이가 방긋 미소짓네요.

낙하

타닥~, 탁!

향긋한 냄새로
온 동네를 불사르던
밤 꽃이 터졌다

들킬세라 오랜 순정을
검푸른 가시갑옷으로
휘익! 감싸 안으며

투둑~, 툭!

지나가는 발끝에
자주 빛깔 밤톨이
방긋 미소를 지었다

넌 어디에서 왔니?

◇작품설명=단풍이 절정에 들어가는 가을입니다. 황혼 빛에 실려온 감이 나무가지에 매달려 유혹을 하네요.

황금 알

태풍과 세찬 비바람이
땅 속 태양을 힘껏 품었다

몸 속 아픔을
마음 속 고통을

맑은 숨으로
하나 둘씩 녹이며

사라지는 붉은 노을
하늘 속 태양을 몰래 훔쳤다

◇작품설명=늦 가을 바람에 흔들리는 갈대에서 저마다 지니고 있는 삶의 애환을 대신 달래주어요.

갈대

속절없는 세월에
묻혀진
슬픔을 달래련다

휘어이!

차가운 세파에
흘린 눈물
남몰래 흩뿌리며

텅 빈 하늘 속
설렘을
마음 가득 채우련다

◇작품설명=온통 붉게 물든 가을, 민들레 홀씨가 태고의 일출을 삼키며 또 다른 설렘을 위해 바람에 실려가네요.

순정

떠오르는
태고적 황금꽃을
님몰래 훔쳤다

스스슥!

바람결에 실려
부름받아 사라지는
텅 빈 순정을

사사삭!

붉게 타오르는
가을나래에
온전히 바치련다

◇작품설명=가을 속에 붉게 물든 낙엽에서 늘 누군가를 사랑한 흔적은 고스란히 마음에
남아있네요.

자국

바스락
낙엽 밟는 소리에

가슴 찡한
그 사랑에 묻힐런다

온종일
낙엽 속에 뒹굴며
사라진
빠알간 정념들

황혼 빛으로
투영된
이슬 방울의
순결로 남기고 싶다

◇작품설명=늦 가을 일출을 바라보는 갈대에서 삶은 혼자가 아닌 누군가의 깊은 사
랑에 의한 것임을 알려주네요.

나는 몰랐습니다

이른 아침,

떠오르는 당신의 손길이
이렇게 따스한 것인지

나는 몰랐습니다
차디찬 바람따라
흔들흔들
춤사위로 인내하며
삶을 노래했습니다

어느 순간,

조용히 전해주는
당신의 붉은 향기가
이토록 소중함을

산다는 것이
나 혼자가 아닌
숨은 사랑에 의한 것임을
나는 몰랐습니다

◇작품설명=나무는 또 다른 생명을 꿈꾸며 자신의 붉은 잎을 하나 둘씩 떼어내어 따님에게 헌화하네요.

훠어이

나무는
피를 토한다

솟구쳐
끓어오르는

심연 속
생명을 위해

훠어이

붉은 꽃을
날린다

◇작품설명=백두대간 천년사찰에 있는 문고리에서 무명수행자의 그윽한 숨결을 헤아려 봅니다.

문고리

내 몸 찾아
나홀로
헤매고 있을 때

북풍 찬 바람이
동그란 문고리에
장난을 친다

삐거덕

넌 누구니?

◇작품설명=허름한 창문에 기대어 기도하는 가난한 어린아이의 작은 소망 기도를 떠올려 봅니다.

난 괜찮아

난 어른이 아니어도 괜찮아
창밖 너머 밀려오는

신비로운 햇살이 있어서

난 가진 것 없어도 괜찮아
창밖 너머 다가오는
포근한 사랑이 가득차 있어서

난 어린 마음이어도 괜찮아
창밖 너머 들려오는
아름다운 찬양이 있어서

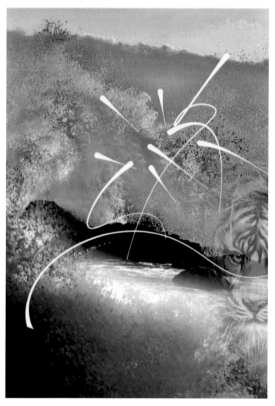

◇작품설명=밀려오고 빠져나가는 파도에 빠져 나도 모르게 동화되어 파도가 되었어요.

파도 숨

싸아!
내쉬는 숨에
밀려가는 파도

철썩!
들이쉬는 숨에
밀려오는 파도

코끝에 피어나는
하얀 안개 꽃
어느새 나도 파도

◇작품설명=눈 쌓인 산 속, 동해에서 떠오르는 일출의 정기를 온 몸으로 받아 하루를 여는 무명 수행자의 삶을 떠올려 봅니다.

까마귀

하얀 상고대

활짝 핀

잔설가지에

까마귀가

붉은 아침 햇살을

들이키며

까아악!

파란 캔버스에

검정색 점을

찍었다

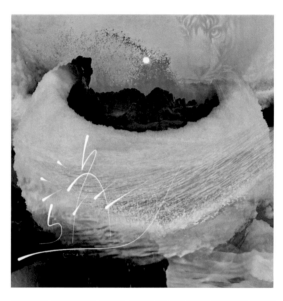

◇작품설명=새해가 왔어요. 떠오르는 일출씨앗을 마음 한가득 저장해서 행복이 필요할 때 하나, 둘 끄집어내어 쓰세요.

일출씨앗

하얀 파도의 기운을 마시며

떠오르는 일출의

기이한 생명씨앗을

하나, 둘씩 나눠갖자

그래서

먹는 일, 하는 일에 지친 몸을

서로 따스한 일출씨앗으로

하나, 둘씩 녹아내리게 하자

◇작품설명=나무가지에 사뿐히 내려앉은 눈들이 여기저기 흩날리며 하늘 속 기쁨을 알려주고 있네요.

눈꽃

앙상한 가지에

설국의 천사들이

왔어요

겨우내 아픈 상처를

하얀 눈꽃으로

감싸주며

방긋방긋

하늘 속 기쁨을

남몰래 알려주어요

◇작품 설명= 속이 텅 빈 목어에서 무소유의 삶을 살아가는 무명수행자의 걸림 없는 삶을 떠올려 봅니다.

목어

텅비어야 하늘을 난다

탁! 타닥 탁!

속 없는 목어의

청명한 울림에

사라지는

굴곡진 상념이여

가느다란 숨결로

수놓은 명상 길

목어는 말한다

텅비어야 하늘을 난다

◇작품 설명=설날 윷놀이에 흥겨워 떠오르는 일출도 가던 길 멈추고 하나, 둘, 태고적
생명씨알을 나눠주어요.

천년씨앗

모야! 윷이야!

시골 어귀 윷놀이의

우렁찬 목소리에

일출도 가던 길 멈추며

따스한 빛나래로

천년씨알을 나눠주어요

◇작품설명=겨우내 추위를 견디기 위해 움츠리고있는 나무가지에 눈꽃으로 포근하게 감싸주고 있어요.

상고대

겨우내 세찬 바람이

밤새 내린 눈으로

상고대를 만들었어요

앙상한 가지에 매달린

마른 잎의

아픈 사연을 달래며

신들린 손길따라

스르르 사라랑

하얀 눈꽃 춤을 추어요

◇작품설명=바위에 부딪쳐 피어나는 안개 꽃에서 오랜 풍랑을 견디어 온 파도의 거친 삶을 느껴봅니다.

안개 꽃

밀려오는 파도

끝없는

당신의 손길

차가운 내 마음

사르르

하얗게 녹이며

안개 꽃

순수한 사랑으로

하나, 둘 피어나요

◇작품설명=즐겁고 행복한 여행도 지나고 나면 아늑한 기억 저 편으로 사라지네요.

이 뭐꼬!

서로 다른 시간과

공간을 누비며

헤매이던 순간들

가치와 문화의

차이를 인정하며

걸어온 발자국도

허허로이

코끝 한 숨에 허공으로

사라지고 만다

이 뭐꼬!